平

平

A arte da guerra

Coordenação editorial
LUMIAR DESIGN
DOMINIQUE MAKINS

Revisão
CARITA FERRARI NEGROMONTE

Projeto gráfico e capa
LUMIAR DESIGN

Coordenação de produção
EQUIPE EDITORIAL HUNTERBOOKS EDITORA

Impresso no Brasil
Printed in Brazil

Impressão e Acabamento
OCEANO INDÚSTRIA GRÁFICA E EDITORA LTDA

Sun Tzu

A arte da guerra

Sun Tzu sobre a Arte da guerra
O mais antigo tratado militar do mundo

Traduzido do chinês por
Lionel Giles, M.A. (1910)

Tradução de Neury Lima com base
na edição inglesa de Lionel Giles

HUNTER
BOOKS EDITORA

Título original:
SUN TZU ON THE ART OF WAR THE OLDEST
MILITARY TREATISE IN THE WORLD

1ª edição – Novembro de 2014

Grafia atualizada segundo o Acordo Ortográfico da Língua Portuguesa
de 1990, que entrou em vigor no brasil em 2009.

editorial@editorahb.com.br
comercial@editorahb.com.br
hunterbooks.com.br

DADOS INTERNACIONAIS DE CATALOGAÇÃO NA PUBLICAÇÃO (CIP)
(Elaboração: Aglaé de Lima Fierli CRB- 9/412)

S954a Sun Tzu, 544aC - 496aC.
A arte da guerra / Sun Tzu; tradução para o português por Neury Lima.
-- São Paulo: Hunter Books, 2011.
160p. 13 X 21 cm.
Título original: Sun Tzu On The Art Of War The Oldest Military Treatise In The World

Traduzido do chinês por Lionel Giles M. A. (1910).
ISBN: 978-85-65042-01-7

1. Estratégia de guerra – China antiga. 2. Estratégia empresarial. 3. Administração. 4. Marketing. I. Título. II. Lima, Neury, trad.

CDD 355.4731

INDICE PARA CATÁLOGO SISTEMÁTICO
Planejamento estratégico : Empresas 658.4012
Estratégia de guerra : China : séc. IV a.C 355.4731
Empresas : Estratégia : Planejamento 658.2

SUMÁRIO

APRESENTAÇÃO

O verdadeiro objetivo da guerra é a paz.

O mais antigo tratado militar da história da humanidade, intitulado A *Arte da Guerra*, foi produzido por Sun Tzu por volta do ano 500 a.C.

Infelizmente, pouco se sabe sobre o general Sun Tzu, porém, um acontecimento mencionado nos registros históricos por volta de 100 a.C nos ajuda a conhecer mais sobre ele.

O fato ocorreu quando Sun Tzu foi indicado por um ministro do rei Hu Lu, que lhe disse: "Li atentamente seus 13 capítulos. Posso submeter sua teoria de dirigir soldados a uma pequena prova?". Após a resposta afirmativa por parte de Sun Tzu, o rei perguntou: "A prova pode ser feita em mulheres?".

A resposta tornou a ser afirmativa, e o teste foi realizado com as damas da corte, entre elas as preferidas do soberano.

Sun Tzu escolheu duas delas, as prediletas do rei, para atuar como comandantes, e as instruiu seriamente. Cada uma delas dirigiria como um verdadeiro oficial as suas respectivas companhias.

As mulheres, no total de 300, trajando capacetes e armaduras, com espadas e escudos, foram orientadas por Sun Tzu.

Em seguida, foram separadas em dois grupos, ficando cada um sob o comando de uma concubina, e, logo após um breve treinamento, foi marcada a apresentação perante o rei.

Mas, a despeito do treinamento dispensado pelo atento general, na hora da ação, quando receberam a ordem "Direita, volver", todas caíram na risada e nada fizeram.

Sun Tzu falou com sabedoria: "Se as ordens do comando não foram suficientemente claras, se não foram totalmente compreendidas, então a culpa é do general". Por conseguinte, repetiu a orientação e ordenou: "Esquerda, volver" igual à vez anterior.

Ao receberem as ordens, as mulheres voltaram a cair na gargalhada. Desta vez, Sun Tzu realmente enfureceu-se e disse: "Se as instruções não são claras e se não se acredita nas ordens, a culpa é do general". Quando instruídas novamente e as ordens explicadas, e se ainda assim as tropas desobedecem, a culpa é dos oficiais. De acordo com as normas de disciplina militar, qual é o procedimento?". O Mestre de Leis disse: "Decapitação!".

Assim, as concubinas foram decapitadas, ainda que contra a vontade do rei, mas o general invocou a autonomia inconteste das suas ordens como comandante nomeado.

Sun Tzu, então, emite novamente as ordens, sendo que desta vez foi prontamente obedecido. Dirigindo-se ao rei, disse: "O exército está bem organizado. Gostaria que Vossa Majestade o observasse. Como quer que o deseje empregar, mesmo que o mande para o fogo ou para a água, não apresentará dificuldades. Pode ser utilizado para ordenar tudo o que há sob o céu".

O rei, inconsolável pela perda das suas concubinas, não quis mais admitir Sun Tzu, que, ao se retirar, não deixou de dizer: "O rei ama palavras vazias. Não é capaz de juntar o gesto às palavras".

Não há nada que o tempo não cure. O luto pelas concubinas passou, mas, como a situação do seu reino piorava, o rei admitiu que os seus inimigos estavam prestes a aniquilá-lo.

Ao ver-se perdido, convocou Sun Tzu, acreditando que seria oportuno admiti-lo como conselheiro militar. O seu exército, dali por diante, reorganizado e treinado pelo seu novo general, lhe conferiu poderes pelas suas grandes conquistas territoriais.

Os ensinamentos contidos nesses 13 capítulos aplicam-se a todo e qualquer conflito, alcançando cada indivíduo com seu opositor; o amante com sua amada; uma empresa com outra, concorrente ou aliada.

A obra foi leitura obrigatória da hierarquia político-militar soviética e, conforme a lenda, a chave do sucesso de Napoleão Bonaparte. Uma das mais lidas no mundo dos negócios agora está em suas mãos.

Boa leitura.

CONTEXTO HISTÓRICO

O general que perde a batalha faz apenas poucos cálculos de antemão. Assim, muitos cálculos levam à vitória e poucos cálculos, à derrota.

Para entender a importância do maior tratado militar escrito por Sun Tzu, *A Arte da Guerra*, deve-se compreender que até 500 a.C. a guerra era considerada, de uma maneira geral, um ritual. Existiam códigos prestabelecidos para guerrear. O clima era levado em consideração, logo, não se combatia no inverno em razão do frio intenso ou no verão em razão das altas temperaturas. Em combate, não era correto abater homens velhos ou aplicar qualquer golpe a quem já estivesse ferido. Um governante de boa índole não massacrava cidades nem levava a guerra para além da estação própria.

Os filósofos e reis faziam distinção entre guerras corretas e guerras incorretas. Era moralmente correto atacar uma nação selvagem e desconhecida, civilizar bárbaros e aqueles que poderiam levar o Estado à ruína. Na sociedade feudal predominante, os comandantes eram da aristocracia hereditária militar. Dessa maneira, os exércitos do Centro de Chin', a partir de 573 a.C., teriam permanecidos por um século sob o comando de poucas famílias.

Os exércitos da China eram particulares e organizados como o modelo militar feudal europeu. O tamanho e o gênero de contingentes como o número de cavalos, carroças, bois e peões determinavam a importância dos feudos que variavam entre poucas vintenas e milhares de famílias. A preocupação com o modo de vida de um aldeão, assim como dos servos e analfabetos, era de pouca importância para o soberano, para o qual em uma batalha o que mais interessava eram os carros, as quadrigas com cocheiros, os lanceiros e os arqueiros da nobreza.

O papel dos peões era apenas proteger os carros, sendo considerados dispensáveis. – Apenas alguns deles utilizavam escudos, e as armas que possuíam eram basicamente adagas, espadas curtas, lanças e lâminas cortantes presas a varas de madeira. O uso de arco era destinado apenas aos nobres.

Na antiga China, as batalhas eram consideradas primitivas e a metodologia empregada era muito simples. Praticavam-se algumas ações limitadas que se restringiam a uma ordem dada pelo comandante, baseada em presságios de um adivinho que, no local do combate, se posicionava com o exército durante vários dias. Quando o momento escolhido chegava, os opositores partiam de maneira desordenada sobre o inimigo. O desfecho da vitória era decidido da seguinte maneira: ou o atacante era repelido e suas tropas partiam em retirada, ou conseguia romper as barreiras do inimigo, matando aqueles que ainda tinham resistência.

Por volta de 500 a.C., os conceitos e métodos de guerra começavam a mudar. O período de grandes e ferozes batalhas exigia uma preparação dos exércitos em que as operações militares já estavam perfeitamente orientadas por oficiais profissionais.

Quando Sun Tzu surgiu, a estrutura feudal vigente passava por um período de mudanças. Uma nova estrutura de sociedade se firmava e a evolução era visível em todos os campos, particularmente no militar. Os grandes Estados passavam a se organizar de maneira permanente. Suas tropas eram disciplinadas e bem preparadas. À sua frente, estavam as tropas de choque, escolhidas por sua habilidade, disciplina e valentia. Com a organização militar, as operações de guerra tornaram-se permanentes e passaram a representar ameaças aos inimigos em potencial.

A arte de estratégias e de táticas militares surgiu neste período. Os Estados organizados tinham especialistas em todas as áreas, entre eles, engenheiros civis voltados para a construção de minas e túneis. Havia peritos na travessia de rios e de inundações. A evolução dos equipamentos bélicos colaborou para um novo método de guerra na China.

Armas de cortes de alta qualidade e o surgimento de bestas (equipamento que disparava pesados virotes) tornaram obsoleto o uso de carros de combate existentes.

Com o novo modo de organização e preparação militar do século IV, a guerra na China atingia a maioridade e a supremacia, tornando-se uma nação relevante e desafiadora por muitas centenas de anos.

O general chinês Sun Tzu, que provavelmente viveu entre 544 e 496 a.C. , baseado em sua experiência militar e no conhecimento do contexto político-econômico, presenciando e analisando a evolução das técnicas de guerra, desenvolveu o livro *A Arte da Guerra*, obra que traduz a excelência conquistada na prática com base nos resultados positivos por Sun Tzu, forjando um dos maiores e mais aclamados tratados de guerra de todos os tempos.

Em seu manual de guerra, ele afirma que não deve ser o objetivo de ações militares o aniquilamento do exército inimigo, a ruína de suas cidades e a destruição de territórios.

SUN TZU

Ora, o general é o baluarte do Estado.
Se o baluarte for completo em todos os pontos, o
Estado será forte; se o baluarte for deficiente,
o Estado será fraco.

Ao longo de quase 2.500 anos, os trabalhos literários do período denominado "Clássico" foram profundamente analisados por historiadores chineses. O general chinês Sun Tzu e sua obra *A Arte da Guerra*, em virtude da sua reconhecida importância como o principal tratado militar conhecido pela humanidade, fizeram parte desta profunda análise.

Sobre o general Sun Tzu, muito pouco se sabe. Ele próprio era um mistério pela ausência de dados sobre sua vida.

Não existe uma biografia sobre Sun Tzu que narre, em ordem cronológica, seus feitos. O que existe são narrativas de fatos ocorridos, evidenciando passagens que demonstram traços de sua personalidade e suas ações, como o bem conhecido relato de Shih Chi, Sun Tzu Wuch'i Lieh Chuan.

Acredita-se que Sun Tzu seja natural de Ch'i, hoje Shantung, e que serviu na corte de Hu lu, rei de Wu, sendo seu súdito. Calcula-se que tenha vivido entre 544 e 496 a.C.

Suas origens e sua história juvenil são desconhecidas, e seu nome desapareceu por completo dos registros históricos depois que Wu conquistou Ying, a capital de Ch'u.

Sun Tzu extraiu a essência de aproximadamente 800 anos de experiência na prática da guerra, sistematizou observações e enunciou as lições que aprendeu, de tal modo que a elite governante pudesse aplicar seus princípios e permanecer vitoriosa.

Os escritos de Sun Tzu refletem o pensamento chinês daquela época.

Contudo, supõe-se que o mestre Sun Tzu não seja o único autor da obra A *Arte da Guerra*, e sim que seus discípulos e seguidores tenham grande influência na composição dos textos, considerando-a constante.

HISTÓRIAS MILENARES QUE ILUSTRAM ALGUNS DOS ENSINAMENTOS DE SUN TZU:

"Em 341 a.C., o Estado Ch'i, em guerra com o Wei, enviou T'ien Ch'i e Sun Pin contra o general P'ang Chuan, que era inimigo mortal do último. Sun Pin disse: 'O Estado Ch'i tem uma reputação de covarde e, por esse motivo, nosso adversário nos despreza. Vamos virar esta circunstância a nosso favor.' Consequentemente, quando o exército atravessou a fronteira do território de Wei, ordenou que fossem acesas 100 mil fogueiras na primeira noite, 50 mil na segunda e apenas 20 mil na outra. P'ang Chuan os atacou vigorosamente, pensando: 'Eu sabia que os soldados de Ch'i eram covardes; seu número já caiu para menos da metade'. Na sua retirada, Sun Pin chegou a um estreito desfiladeiro que, segundo seus cálculos, seria atingido pelos perseguidores depois do escurecer.

Lá chegando, tirou a casca de uma árvore e escreveu a seguinte frase: 'Sob esta árvore, P'ang Chuan morrerá'. Então, quando a noite começou a cair, colocou um poderoso corpo de arqueiros emboscados nos arredores, com ordem de atirar diretamente se vissem uma luz. Mais tarde, P'ang Chuan chegou ao local e, vendo a árvore, acendeu uma luz para ler o que estava escrito.

Seu corpo foi imediatamente crivado por uma sequência de flechas e todo o seu exército foi preso na confusão."

"Tu Mu conta uma história relacionada com Wu Ch'i, a época em que lutava contra o Estado de Ch'in, aproximadamente no ano de 200 a.C. Antes que a batalha começasse, um dos seus soldados, homem de audácia inigualável, atacou repentinamente sem ordem, voltando com duas cabeças inimigas. Então Wu Ch'i mandou imediatamente executar o homem, ao que um oficial ousou protestar, dizendo: 'Este homem era um bom soldado e não merecia ser decapitado'.

Wu Ch'i respondeu: 'Acredito realmente em que era um bom soldado, porém mandei decapitá-lo porque agiu sem ordens'. "

Yao Hsiang, quando enfrentado em 357 d.C. por Huang Mei, Teng Ch'iang e outros, encerrou-se em suas muralhas e se recusou a lutar. Teng Ch' iang disse: 'Nosso adversário tem um temperamento colérico e é facilmente provocável; vamos fazer repetidas incursões e derrubar suas fortificações, fazendo-o ficar zangado e sair. Assim que conseguirmos levar seu exército ao combate, ele estará condenado a ser nossa presa'. Logo em seguida, esse plano foi posto em prática. Yao Hsaing saiu para guerrear, então foi atraído até San-yuan pela pretensa fuga do inimigo e finalmente atacado e morto.

I

ESTABELECENDO PLANOS

O general que ouvir com atenção aos meus conselhos e atuar de acordo com eles vencerá: faze que este seja mantido em comando!

1. Sun Tzu disse: A arte da guerra é de vital importância para o Estado.

2. É uma questão de vida ou morte, uma estrada tanto para a segurança quanto para a ruina. Portanto, é um tema de estudos que não pode, de forma alguma, ser negligenciado.

3. A arte da guerra é, portanto, governada por cinco fatores constantes a serem levados em consideração nas decisões, quando se busca determinar as condições a serem obtidas no campo de batalha.

4. Os fatores são:
(1) A Lei Moral;
(2) Céu;
(3) Terra;
(4) O Comandante;
(5) Método e disciplina.

5,6. A Lei Moral faz com que a população esteja em completo acordo com seu soberano, seguindo-o, a despeito de suas próprias vidas, sem medo do perigo.

7. Céu, significa dia e noite, frio e calor, tempo e estações do ano.

8. Terra, compreende distâncias, grandes e pequenas; perigo e segurança; áreas abertas e passagens estreitas; as chances de vida e morte.

9. O Comandante significa as virtudes da sabedoria, sinceridade, benevolência, coragem e rigor.

10. Por Método e disciplina deve ser entendida a ordenação de um exército em suas subdivisões adequadas,a graduação de postos entre os oficiais, a manutenção das estradas pelas quais os suprimentos chegam ao exército e o controle dos gastos militares.

11. Esses cinco princípios devem ser familiares a todos os generais: aqueles que os conhecerem serão vitoriosos; aqueles que não os conhecerem falharão.

12. Portanto, buscando determinar as condições militares, faze com que tuas decisões sejam tomadas com base em comparações, desta forma:

13. (1) Qual dos dois soberanos está imbuído da Lei Moral?
(2) Qual dos dois generais tem mais habilidade?
(3) Com quem se encontram as vantagens derivadas de Céu e Terra?
(4) Em qual lado a disciplina é mais rigorosamente aplicada?
(5) Qual exército é mais forte?
(6) Em qual dos lados os oficiais e soldados são mais bem treinados?
(7) Em qual dos exércitos há maior constância tanto em recompensas quanto em punições?

14. Por meio dessas sete considerações posso prever a vitória ou a derrota.

15. O general que ouvir com atenção aos meus conselhos e atuar de acordo com eles vencerá: faze que este seja mantido em comando!

O general que não ouvir com atenção aos meus conselhos e não atuar de acordo com eles, sofrerá a derrota: faze que este seja destituído!

16. Enquanto te guia pelos benefícios de meus conselhos, avalia também circunstâncias favoráveis acima e além das regras ordinárias.

17. Sendo favoráveis as circunstâncias, os planos devem ser alterados.

18. Todas as guerras são baseadas no logro.

19. Portanto, quando capazes de atacar, devemos parecer incapazes; ao usarmos nossas forças, devemos parecer inativos; quando estivermos próximos, devemos fazer com que nossos inimigos acreditem que estamos bem distantes; quando estivermos distantes, devemos fazê-los crer que estamos próximos.

20. Joga iscas para tentar o inimigo. Finge desordem e esmaga-o.

21. Caso ele esteja seguro em todas as posições, estejas preparado para ele.

Se ele tiver forças superiores, evade-te.

22. Caso teu oponente tenha temperamento colérico, busca irritá-lo. Finge ser fraco para que ele torne-se arrogante.

23. Se ele estiver em repouso, não lhe dê descanso.
Se suas forças estiverem unidas, separa-as.

24. Ataca-o onde ele está despreparado, aparece onde não és esperado.

25. Esses recursos militares que levam à vitória não devem ser divulgados de antemão.

26. Nessas circunstâncias, o general que vence a batalha faz muitos cálculos em seu templo antes que a batalha seja travada.

O general que perde a batalha faz apenas poucos cálculos de antemão. Assim, muitos cálculos levam à vitória e poucos cálculos, à derrota:

Muito pior sem cálculo algum! É pela atenção a essas regras que eu posso prever quem possivelmente vencerá ou perderá.

II

EM COMBATE

Na guerra, portanto, faze com que teu grande objetivo seja a vitória e não longas campanhas.

1. Sun Tzu disse: Nas operações de guerra, onde há, no campo de batalha, mil bigas rápidas, tantas quantas bigas pesadas e cem mil soldados em armaduras, com provisões suficientes para mantê-los por mil LI[1], as despesas na base e no front, incluindo entretenimento de convidados, pequenos itens como cola e tinta e somas gastas em bigas e armaduras, atingirão o total de mil onças de prata por dia.

Esse é o custo de levantar um exército de 100.000 homens.

2. Ao engajar-se na batalha, se a vitória tardar em vir, os armamentos de teus soldados perderão o fio e seu ardor esmorecerá. Se sitiarem uma cidade, vão exaurir suas próprias forças.

3. Novamente, se a campanha for prolongada, os recursos do Estado não serão proporcionais ao esforço.

4. Assim, quando suas armas estiverem desgastadas, seu ardor esmorecido, suas forças exauridas e sua riqueza consumida, outros líderes despontarão para tirar vantagem de tua dificuldade. Então, nenhum homem, por mais sábio que seja, será capaz de impedir as consequências que se sucederão.

---

[1] N.T.: LI é uma antiga medida chinesa para distâncias, atualmente padronizada em 500 metros.

5. Portanto, ainda que tenhamos ouvido sobre estúpida celeridade na guerra, a inteligência nunca esteve associada com longa demora.

6. Não há exemplos de países que tenham se beneficiado de guerras prolongadas.

7. Somente aqueles que estão completamente familiarizados com os males da guerra podem compreender inteiramente a maneira rentável de levá-la avante.

8. O soldado habilidoso não se engaja em um segundo confronto nem seus carros de suprimento são carregados mais de duas vezes.

9. Traze contigo o material necessário à guerra, mas pilha o inimigo, assim o exército terá alimento suficiente para suas necessidades.

10. A pobreza do Tesouro do Estado faz com que o exército seja mantido por contribuições distantes, e contribuições à distância para manutenção de um exército fazem com que a população empobreça.

11. Por outro lado, a proximidade de um exército faz com que os preços aumentem, e altos preços drenam as economias da população.

12. Quando suas economias são exauridas, os camponeses sofrem pesada extorsão.

13,14. Com essa perda de economias e exaurimento das forças, os lares da população serão espoliados e três décimos de seus rendimentos serão consumidos, enquanto as despesas do governo com bigas quebradas, cavalos feridos, armaduras e capacetes, arcos e flechas, lanças e escudos, manteletes, animais de carga e carros pesados somarão quatro décimos de seu rendimento total.

15. Consequentemente, um general inteligente faz a pilhagem dos inimigos. Um carregamento de provisões do inimigo é equivalente a vinte de suas próprias provisões e, do mesmo modo, um único picul[2] de seus mantimentos é equivalente a vinte dos nossos, armazenados.

16. Para matar o inimigo, nossos homens devem ser despertados para a ira; para que haja vantagem sobre o inimigo, eles devem ser recompensados.

17. Portanto, em combates com bigas, quando dez ou mais delas forem capturadas, o primeiro a trazê-las deve ser recompensado.

Nossas próprias bandeiras devem substituir aquelas dos inimigos e as bigas misturadas e utilizadas em conjunto com as nossas.

Os soldados capturados devem ser gentilmente tratados e aprisionados.

18. Isso é chamado de usar o inimigo conquistado para ampliar sua própria força.

---

[2] N.T.: O **picul** é uma antiga medida de peso usada no sudeste asiático, especialmente na China, e equivale a aproximadamente 60 kg.

19. Na guerra, portanto, faze com que teu grande objetivo seja a vitória e não longas campanhas.

20. Assim, será sabido que o líder dos exércitos é o árbitro do destino do povo, o homem do qual dependerá se a nação estará em paz ou em perigo.

III

ATAQUE POR ESTRATAGEMA

Por consequência, está dito: Se conheceres o inimigo e a ti mesmo, não temas o resultado de cem batalhas.
Se conheceres a ti mesmo, mas não o inimigo, para cada vitória, também sofrerás uma derrota.
Se não conheceres a ti mesmo nem o inimigo, sucumbirás a todas as batalhas.

1. Sun Tzu disse: Na prática da arte da guerra, o melhor é tomar o país inimigo por inteiro e intacto; esmagá-lo e destruí-lo não é tão bom. Da mesma forma, também é melhor capturar um exército inteiro do que destruí-lo, capturar um regimento, um destacamento ou uma companhia inteira do que destruí-los.

2. Consequentemente, lutar e conquistar em todas as tuas batalhas não é a excelência suprema; a excelência suprema consiste em quebrares a resistência do inimigo sem lutar.

3. Assim, a mais alta forma de liderança estratégica é impedir os planos inimigos; a segunda melhor coisa é evitar a junção das forças inimigas; a seguinte, na ordem, é atacar o exército inimigo no campo de batalha; e a pior política de todas é sitiar cidades muradas.

4. A regra é não sitiar cidades muradas se for possível evitar. A preparação de manteletes, abrigos móveis e vários outros implementos de guerra consumirá três meses inteiros; o empilhamento de terra contra o muro tomará mais três meses.

5. O general incapaz de controlar sua ansiedade lançará seus homens ao ataque como uma correição de formigas,

resultando no massacre de um terço de seus homens, enquanto que a cidade continuará intacta. Estes são os desastrosos efeitos de um sítio.

6. Portanto, o líder habilidoso subjuga as tropas inimigas sem qualquer luta; ele captura suas cidades sem sitiá-las; ele derruba seus reinos sem longas operações no campo de batalha.

7. Com suas forças intactas, ele disputará o domínio do Império e, assim, sem nem perder um homem sequer, seu triunfo será completo. Esse é o método de ataque por estratagema.

8. São regras da guerra: se nossas forças forem dez vezes maior que a do inimigo, cerca-o; se forem cinco vezes maior, ataca-o; se duas vezes maior, divide nosso exército em dois.

9. Se forem do mesmo tamanho, podemos oferecer o combate; se nosso número for ligeiramente inferior, podemos evitar o inimigo; se for muito menor, em todos os sentidos, podemos nos evadir dele.

10. Por consequência, embora uma luta obstinada possa ser feita por uma força pequena, ao final ela será capturada pela força maior.

11. Ora, o general é o baluarte do Estado.

Se o baluarte é completo em todos os pontos, o Estado será forte; se o baluarte for deficiente, o Estado será fraco.

12. Há três maneiras nas quais um soberano pode trazer a desgraça para seu exército:

13. (1) Ordenando que seu exército avance ou recue, ignorando o fato que ele não pode obedecer.

Isso é chamado de constranger o exército.

14. (2) Tentando governar um exército do mesmo modo ao qual administra um reino, ignorando as condições em que se opera um exército. Isso causa inquietação nas mentes dos soldados.

15. (3) Utilizando os oficiais de seu exército indiscriminadamente, ignorando o princípio militar da adaptação às circunstâncias.

Isso estremece a confiança dos soldados.

16. Quando o exército torna-se inquieto e desconfiado, certamente problemas surgirão por meio de outros príncipes feudais.

Isto simplesmente traz anarquia ao exército e arruína a vitória.

17. Assim, devemos saber que existem cinco pontos essenciais à vitória:

(1) Será vencedor aquele que souber quando lutar e quando não lutar.

(2) Será vencedor aquele que souber como manipular forças, tanto superiores quanto inferiores.

(3) Será vencedor aquele cujo exército estiver imbuído do mesmo espírito de ânimo em todas as suas patentes.

(4) Será vencedor aquele que, estando preparado, aguarda para pegar o inimigo despreparado.

(5) Será vencedor aquele que tiver capacidade militar e não sofrer a interferência de seu soberano.

18. Por consequência, está dito: Se conheceres o inimigo e a ti mesmo, não temas o resultado de cem batalhas. Se conheceres a ti mesmo, mas não o inimigo, para cada vitória, também sofrerás uma derrota. Se não conheceres a ti mesmo nem o inimigo, sucumbirás a todas as batalhas.

IV

DISPOSIÇÕES TÁTICAS

Permanecer na defensiva indica insuficiência de força;
na ofensiva, uma grande abundância de força.

1. Sun Tzu disse: Os bons guerreiros de antigamente primeiro colocam-se além da possibilidade de derrota, só então aguardam pela oportunidade de derrotar o inimigo.

2. Assegurarmo-nos de não sermos derrotados está em nossas mãos, mas a oportunidade de derrotar o inimigo nos é dada por ele mesmo.

3. Portanto, o bom guerreiro é capaz de evitar sua própria derrota, mas não pode assegurar-se de derrotar o inimigo.

4. Por consequência, está dito: É possível saber como conquistar o inimigo sem, no entanto, ser capaz de fazê-lo.

5. A segurança contra derrotas implica táticas defensivas; a habilidade de derrotar o inimigo significa tomar a ofensiva.

6. Permanecer na defensiva indica insuficiência de força; na ofensiva, uma grande abundância de força.

7. O general habilidoso em defesa esconde-se nos mais secretos recônditos da Terra; aquele que é habilidoso em atacar desponta avançando do mais alto dos céus.

Assim, por um lado temos a habilidade de nos proteger, por outro, a vitória é completa.

8. Ver a vitória somente quando está à vista da multidão não é o ápice da excelência.

9. Também não é o ápice da excelência se lutares e conquistares e todo o Império disser “Muito bem!”.

10. Erguer um fio de cabelo outonal não é sinal de grande força; ver o Sol e a Lua não é sinal de visão aguçada; ouvir o ribombar do trovão não é sinal de ouvido atento.

11. O que os antigos chamam de guerreiro habilidoso é aquele que não apenas vence, mas se distingue por vencer com facilidade.

12. Por isso, suas vitórias não lhe trazem reputação de sabedoria nem crédito por bravura.

13. Ele vence suas batalhas não cometendo erros.

Não cometer erros é o que determina a certeza da vitória, pois isso significa conquistar um inimigo que já está derrotado.

14. Por isso, o combatente habilidoso coloca-se em uma posição que torna a derrota impossível e não perde o momento para derrotar o inimigo.

15. Assim é que, na guerra, o estrategista vitorioso somente procura a batalha quando a vitória já foi obtida, visto que ele está destinado a derrotar nos primeiros combates e mais tarde buscar a vitória.

16. O líder consumado cultiva a lei moral e devota-se ao método e disciplina, assim, está em seu poder controlar o sucesso.

17. Com respeito aos métodos militares, temos, primeiro, a Medida; segundo, a Estimativa de quantidade; terceiro, os Cálculos; quarto, o Equilíbrio de chances; e, quinto, a Vitória.

18. A Medida deve sua existência à Terra;
a Estimativa de quantidade à Medida;
o Cálculo à Estimativa de quantidade;
o Equilíbrio de chances ao Cálculo;
e a Vitória ao Equilíbrio de chances.

19. Um exército vitorioso, em contraste com um derrotado, é como um peso de uma libra colocado em uma balança contra um simples grão.

20. A investida de uma força conquistadora é como a explosão de águas represadas sobre um abismo de mil fathoms[3] de profundidade.

[3] N.T.: O **fathom** é uma unidade de medida de comprimento usada por marinheiros para definir profundidade e corresponde a aproximadamente 183 cm.

V
ENERGIA

Oferecendo iscas, mantém-se o inimigo em marcha;
então, com uma equipe de homens selecionados,
aguarda-se o inimigo.

1. Sun Tzu disse: O controle de uma grande força usa o mesmo princípio do controle de alguns homens: é meramente uma questão de dividir seus números.

2. Combater com um grande exército sob teu comando não é, de forma alguma, diferente de combater com um pequeno: é meramente uma questão de estabelecer sinais e sinalizações.

3. A garantia que toda a tropa pode resistir à violência do ataque inimigo e manter-se inabalada é efetuada por meio de manobras diretas e indiretas.

4. Que o impacto de seu exército seja como uma mó golpeada contra um ovo – isso é efetuado pela ciência dos pontos fracos e fortes.

5. Em todos os combates, o método direto pode ser utilizado para engajar-se na batalha, mas o método indireto será necessário para assegurar a vitória.

6. Táticas indiretas, eficientemente aplicadas, são inesgotáveis, como Céu e Terra, intermináveis como o fluxo dos rios e córregos; como o Sol e a Lua, elas se vão, apenas para

retornar novamente; como as quatro estações elas passam, para voltar mais uma vez.

7. Não há mais do que cinco notas musicais, mesmo assim, a combinação dessas cinco faz surgir mais melodias do que jamais poderá ser ouvido.

8. Não há mais do que cinco cores primárias (azul, amarelo, vermelho, branco e preto), mesmo assim, em combinação, elas podem produzir mais tons do que jamais poderá ser visto.

9. Não á mais do que cinco sabores principais (azedo, picante, salgado, doce e amargo), mesmo assim, sua combinação faz surgir mais sabores do que jamais poderão ser provados.

10. Em uma batalha, não há mais do que dois métodos de ataque, o direto e o indireto; mesmo assim, esses dois em combinação produzem uma série interminável de manobras.

11. O direto e o indireto conduzem , por sua vez, um ao outro.
É como mover-se em um círculo: nunca se encontra o fim.
Quem poderá esgotar as possibilidades de suas combinações?

12. A investida das tropas é como o avanço de uma torrente que rola, até mesmo pedras, ao longo de seu curso.

13. A qualidade da decisão é como o arrebatamento bem sincronizado de um falcão, que lhe permite abater e destruir suas vítimas.

14. Portanto, o bom guerreiro será terrível em suas investidas e rápido em suas decisões.

15. A energia pode ser comparada ao envergar de uma besta; a decisão, ao pressionar de um gatilho.

16. Na confusão e tumulto de uma batalha, pode haver uma aparente desordem e, ainda assim, não haver qualquer desordem verdadeira;

Na confusão e no caos, a formação pode parecer sem começo ou fim, mas ainda assim, ela será o seguro contra a derrota.

17. Desordem simulada pressupõe perfeita disciplina; medo simulado pressupõe coragem; fraqueza simulada pressupõe força.

18. Ocultar a ordem sob o manto da desordem é simplesmente uma questão de subdivisão; dissimular a coragem sob uma aparência de timidez pressupõe uma reserva de energia latente.

O mascaramento da força com a fraqueza deve ser executado por disposições táticas.

19. Assim, quem é hábil em conservar o inimigo em movimento mantém a ilusão, de acordo com a qual, o inimigo agirá. Para tanto, sacrifica-se alguma coisa da qual o inimigo pode apoderar-se.

20. Oferecendo iscas, mantém-se o inimigo em marcha; então, com uma equipe de homens selecionados, aguarda-se o inimigo.

21. O combatente inteligente busca pelo efeito da energia combinada e não demanda muito de indivíduos.

Daí, sua habilidade em selecionar os homens certos e utilizar a energia combinada.

22. Quando se utiliza energia combinada, seus guerreiros agem como se fossem troncos ou pedras roliças, pois é da natureza dos troncos e pedras manter-se imóvel em solo plano e mover-se quando em solo inclinado; se não forem roliços acabarão por parar, mas se forem arredondados, continuarão a avançar.

23. Assim, a energia desenvolvida por bons guerreiros é como o *momentum* de pedras rolando montanha abaixo por milhares de pés de altura. Muito, em termos de energia.

VI

PONTOS FORTES E FRACOS

Não repete as táticas que te fizeram vencer, deixa que teus métodos sejam regulados pela infinita variedade de circunstâncias.

1. Sun Tzu disse: Aquele que primeiro chegar ao campo de batalha e esperar pela chegada do inimigo estará mais preparado para a luta.

Aquele que for o segundo no campo de batalha e tiver que se apressar ao combate chegará exausto.

2. Portanto, o combatente inteligente impõe sua vontade sobre o inimigo, mas não permite que a vontade do inimigo seja imposta sobre ele.

3. Conservando a vantagem para si, é possível fazer com que o inimigo se aproxime conforme sua conveniência ou, infligindo danos, fazer com que se torne impossível ao inimigo aproximar-se.

4. Se o inimigo está em repouso, é possível acossá-lo; se estiver bem suprido de alimentos, levar a fome até ele; se adequadamente acampado, forçá-lo a mover-se.

5. Aparece em pontos nos quais o inimigo tenha de se apressar para defender; marcha rapidamente para locais em que não és esperado.

6. Um exército pode marchar grandes distâncias sem dificuldades, deslocando-se por localidades em que o inimigo não está presente.

7. Pode-se estar seguro do sucesso do ataque apenas se locais não defendidos forem atacados. Pode-se garantir a segurança de sua defesa apenas se forem mantidas posições que não podem ser atacadas.

8. Assim, é hábil o general que ataca aquilo que o oponente não sabe que deve defender e hábil aquele que defende aquilo que o oponente não sabe que deve atacar.

9. Da divina arte da sutileza e do sigilo!

Por meio dela, aprendemos a ser invisíveis, por meio, dela, inaudíveis e, assim, podemos ter o destino do inimigo em nossas mãos.

10. Podes avançar e ser absolutamente irresistível se atuares sobre os pontos fracos do inimigo; podes bater em retirada e evitar a perseguição se teus movimentos forem mais rápidos do que os do inimigo.

11. Se desejarmos lutar, o inimigo pode ser forçado ao combate mesmo que esteja abrigado atrás de muros de proteção e de um poço profundo. Tudo o que temos de fazer é atacar outro local que ele seja obrigado a desproteger.

12. Se não desejamos lutar, podemos impedir que o inimigo nos force, mesmo que a linha de nosso acampamento seja um mero traço no chão.

Tudo o que temos a fazer é colocar algo diferente e inesperado em seu caminho.

13. Ao descobrir a disposição do inimigo e permanecer invisíveis, podemos manter nossas forças concentradas, mas devemos dividir o inimigo.

14. Podemos formar um corpo único e coeso, enquanto o inimigo deve ser dividido em frações. Assim, haverá fendas separando o todo, o que significa que deveremos ser muitos para os poucos inimigos.

15. E, se formos capazes de atacar uma força inferior com uma superior, nosso oponente estará em terríveis dificuldades.

16. O ponto que pretendemos combater não deve ser sabido, pois o inimigo terá de preparar-se contra um possível ataque em vários pontos diferentes; por consequência, suas forças serão distribuídas em muitas direções e os números que deveremos confrontar em dado ponto será proporcionalmente menor.

17. Se o inimigo tem de reforçar sua frente de batalha, sua retaguarda será enfraquecida; se reforçar a retaguarda, sua frente será enfraquecida; se reforçar sua esquerda, sua direita será enfraquecida; se reforçar sua direita, a esquerda será enfraquecida. Se enviar reforços para todos os flancos, ficará enfraquecido em todos os pontos.

18. A inferioridade numérica advém do fato de ter que se preparar contra possíveis ataques; superioridade numérica de forçar nosso adversário a fazer esse preparo contra nós.

19. Sabendo o local e o dia da batalha que virá, podemos nos concentrar a grande distância para combater.

20. Porém, se nem o dia nem o local são conhecidos, então o fronte esquerdo estará impotente para socorrer o direito, o direito, igualmente impotente para socorrer o esquerdo, a frente incapaz de socorrer a retaguarda ou a retaguarda de apoiar a frente. Pior ainda se os flancos mais distantes do exército estiverem separados por uma centena de LI e, mesmo os mais próximos, separados por vários LI!

21. Embora, de acordo com minhas estimativas, os soldados de Yueh[4] excedam os nosso em número, isso não lhes deverá trazer uma vantagem para a vitória. Portanto, eu digo que a vitória pode ser obtida.

22. Embora o inimigo seja em número maior, podemos evitar que ele lute, esquematizando de modo a descobrir seus planos e as possibilidades de seu sucesso.

23. Despertá-lo e aprender os princípios de sua atividade e inatividade. Forçá-lo a revelar-se, de forma a descobrir seus pontos vulneráveis.

24. Cuidadosamente comparar o exército opositor com o teu próprio, para poder saber onde a força é abundante e onde é deficiente.

---

[4] N.T.: **Yueh** era um Estado nascente no território chinês, por volta de 506 a.c. e foi um dos Estados contra o qual o general Sun Tzu lutou, defendendo o Estado de Wu.

25. Ao fazer disposições táticas, o melhor passo que se pode dar é ocultá-las; oculta tuas disposições e estarás a salvo da bisbilhotice do mais astuto dos espiões e das maquinações do mais sagaz dos cérebros.

26. Como a vitória pode ser produzida com base nas próprias táticas do inimigo. Isso é o que o povo não consegue compreender.

27. Todos podem ver as táticas por meio das quais eu conquisto, mas o que ninguém pode ver é a estratégia utilizada, que evolui para a vitória.

28. Não repete as táticas que te fizeram vencer, deixa que teus métodos sejam regulados pela infinita variedade de circunstâncias.

29. Táticas militares são como águas que fluem, pois a água em seu curso natural precipita-se dos locais altos para baixo.

30. Do mesmo modo na guerra, o caminho é evitar o que é forte e atacar o que é fraco.

31. A água molda seu curso de acordo com a natureza do solo sobre o qual ela flui; o soldado realiza sua vitória de acordo com o inimigo que está enfrentando.

32. Portanto, tanto quanto a água que não possui forma constante, na guerra não existem condições constantes.

33. Aquele que consegue modificar suas táticas em relação a seu oponente e assim obter a vitória pode ser chamado de capitão nascido dos céus.

34. Os cinco elementos (água, fogo, madeira, metal e terra) não são igualmente predominantes; as quatro estações permitem sua alternância. Há dias longos e curtos; a Lua tem suas fases de minguante e crescente.

VII

MANOBRAS

Faze com que teus planos sejam obscuros e
impenetráveis como a noite e, quando
te moveres, cai como um relâmpago.

1. Sun Tzu disse: Na guerra, o general recebe suas ordens do soberano.

2. Tendo formado seu exército e concentrado suas forças, ele deve mesclar e harmonizar seus diferentes elementos antes de armar seu acampamento.

3. Após isto, vêm as manobras táticas, sendo impossível haver algo mais difícil.

As dificuldades das manobras táticas consistem em transformar o tortuoso em direto e o infortúnio em benefício.

4. Assim, para tomar uma rota longa e sinuosa, após atrair o inimigo para fora do caminho e, embora tendo começado depois dele, sê inventivo para alcançar o objetivo antes dele, mostra conhecimento do artifício de CONTORNAR.

5. Manobras com um exército é vantajoso; com uma multidão indisciplinada, muito perigoso.

6. Se colocares um exército completamente equipado em marcha, para obter alguma vantagem, as chances são de que ele chegará muito tarde. Por outro lado, destacar uma coluna

móvel com esse propósito envolve o sacrifício de suas bagagens e víveres.

7. Assim, se ordenares teus homens a enrolar suas cobertas e obrigá-los à marcha forçada sem parar por dia e noite, cobrindo o dobro da distância usual em apenas uma etapa, deslocando-se uma centena de LI para conseguir uma vantagem, os líderes de todas as tuas três divisões cairão nas mãos do inimigo.

8. Os homens mais fortes estarão à frente, os mais cansados ficarão para trás e, com esse plano, somente um décimo de teu exército chegará ao seu destino.

9. Se marchares cinquenta LI para sobrepujar o inimigo, perderás o líder de tua primeira divisão e apenas metade de tua força atingirá o objetivo.

10. Se marchares trinta LI com o mesmo objetivo, dois terços de teu exército chegará.

11. Podemos, então, concluir que um exército sem seu comboio de suprimentos está derrotado; sem provisões está derrotado; sem bases de suprimento está derrotado.

12. Não podemos entrar em alianças até que estejamos familiarizados com os planos de nossos vizinhos.

13. Não estamos preparados para liderar um exército em marcha se não estivermos familiarizados com o traçado da região; suas montanhas e florestas, suas armadilhas e precipícios, seus charcos e pântanos.

14. Podemos não ser capazes de transformar vantagens naturais em benefícios se não fizermos uso de guias locais.

15. Na guerra, pratica a dissimulação e terás sucesso.

16. A decisão de concentrar ou dividir tuas tropas deve ser tomada de acordo com as circunstâncias.

17. Faze com que tua rapidez seja como a do vento e tua compacidade como a da floresta.

18. Em tuas incursões e pilhagens, sê como o fogo, na imobilidade, como uma montanha.

19. Faze com que teus planos sejam obscuros e impenetráveis como a noite e, quando te moveres, cai como um relâmpago.

20. Quando saqueares o campo, deixa que a pilhagem seja dividida entre teus homens; quando capturares um novo território, divida-o em lotes em benefício dos soldados.

21. Pondera e delibera antes de fazer movimentos.

22. Conquistará aquele que aprender o artifício de contornar. Essa é a arte de manobrar.

23. O Livro da Gestão de Exércitos diz: No campo de batalha, a palavra falada não leva a mensagem muito longe; assim, instituas gongos e tambores; nem podem objetos ordinários serem vistos com a clareza necessária; assim, institua estandartes e bandeiras.

24. Gongos e tambores, estandartes e bandeiras são meios pelos quais os ouvidos e olhos da tropa podem ser concentrados em um ponto em particular.

25. A tropa, assim, formando um corpo único e coeso torna impossível mesmo ao bravo avançar sozinho ou ao covarde recuar sozinho. Essa é a arte de manobrar grandes massas de homens.

26. Em combates noturnos, portanto, faça muito uso de sinais de fogo e tambores e, em combates diurnos, de bandeiras e estandartes, como forma de influenciar os ouvidos e olhos de teu exército.

27. Todo um exército pode ter seu ânimo roubado; um comandante em chefe pode ter roubada sua presença de espírito.

28. O ânimo de um soldado é forte pela manhã; à tarde começa a esmorecer; e à noite sua mente está voltada somente para o retorno ao acampamento.

29. Um general hábil, portanto, evita um exército quando seu ânimo é forte, mas ataca quando ele está desvanecido e inclinado a voltar. Essa é a arte de estudar os estados de espírito.

30. Disciplinado e calmo, para esperar pela aparência de desordem e confusão entre o inimigo. Essa é a arte de manter o autocontrole.

31. Estar próximo ao objetivo enquanto o inimigo ainda está distante dele; aguardar com paciência enquanto o inimigo

está labutando e lutando, estar bem alimentado enquanto o inimigo está faminto. Essa é a arte de poupar esforços.

32. Abster-se de interceptar um inimigo cujos estandartes estejam em perfeita ordem; abster-se de atacar um exército em tranquila e confiante disposição. Essa é a arte de estudar as circunstâncias.

33. É um ensinamento militar não subir para avançar contra o inimigo nem opor-se quando ele avança em descida.

34. Não persegue um inimigo que simula fuga; não ataca soldados cujo temperamento é forte.

35. Não engole a isca oferecida pelo inimigo. Não interfere com um exército que está voltando para casa.

36. Quando cercar um exército, deixa uma escapatória. Não pressiona demais um inimigo desesperado.

37. Esta é a arte da guerra.

VIII

VARIAÇÕES NAS TÁTICAS

O general que compreende inteiramente as vantagens que acompanham as variações de tática sabe como manobrar sua tropa.

1. Sun Tzu disse: Na guerra, o general recebe suas ordens do soberano, agrupa seu exército e concentra suas forças.

2. Em localidades hostis, não acampa. Em localidades em que os interesses coincidem, une-te aos teus aliados.

Não te retarda em posições perigosas e isoladas.

Em situações de cerco, recorre ao estratagema. Em posição de desespero, deves combater.

3. Há estradas que não devem ser percorridas, exércitos que não devem ser atacados, cidades que não devem ser sitiadas, posições que não devem ser contestadas e ordens de soberanos que não devem ser obedecidas.

4. O general que compreende inteiramente as vantagens que acompanham as variações de tática sabe como manobrar sua tropa.

5. O general que não compreender isso pode estar bem familiarizado com a configuração do terreno e, mesmo assim, não será capaz de transformar seu conhecimento em benefícios práticos.

6. Portanto, o estudante da arte da guerra que não é versado na arte de variar seus planos de combate, mesmo estando familiarizado com as Cinco Vantagens, falhará em fazer o melhor uso de seus homens.

7. Assim, nos planos de um líder sábio, as considerações de vantagens e de desvantagens serão combinadas.

8. Se nossas expectativas de vantagem forem combinadas desse modo, poderemos ter sucesso na parte essencial de nossos esquemas.

9. Se, por outro lado, no meio das dificuldades, estamos sempre prontos a apreender uma vantagem, podemos nos desenredar do infortúnio.

10. Abrandar os comandantes hostis, infligindo perdas a eles, causando-lhes dificuldades e mantendo-os constantemente engajados em combate; oferece-lhes falsos atrativos e faze-os atacar pontos específicos.

11. A arte da guerra nos ensina a não confiar na possibilidade de que o inimigo não venha, mas na nossa própria prontidão para recebê-lo; não na possibilidade de que ele não ataque, mas no fato de que fazemos nossa posição inexpugnável.

12. Existem cinco erros perigosos que podem afetar um general:

(1) Imprudência, que leva à destruição;
(2) covardia, que leva à captura;

(3) um temperamento irritadiço, que pode ser estimulado por insultos;

(4) fragilidade de honra, que é suscetível à vergonha;

(5) excesso de solicitude com seus homens, que o expõe a preocupações e problemas.

13. Esses são os cinco pecados que afligem um general, desastrosos para a condução da guerra.

14. Quando um exército é destruído e seu líder, assassinado, a causa será, seguramente, encontrada entre esses cinco perigosos erros. Faça com que sejam sujeitos à reflexão.

IX

O EXÉRCITO EM MARCHA

Aquele que não exercita a previsão, mas faz pouco de seus oponentes seguramente será capturado por eles.

1. Sun Tzu disse: Chegamos agora à questão de como acampar o exército e observar os sinais do inimigo.

Passa rapidamente sobre as montanhas e mantenha-te nas proximidades dos vales.

2. Acampa em locais altos, de frente para o Sol. Não suba em locais muito altos para lutar. Principalmente em guerra nas montanhas.

3. Após cruzar um rio, afasta-te bastante dele.

4. Quando uma força invasora, em sua marcha, cruza um rio, não avances para encontrá-la no meio da corrente.

É melhor que deixes metade do exército atravessar e então executes teu ataque.

5. Se estiveres ansioso para o ataque, não vás ao encontro do invasor próximo de um rio a ser cruzado por ele.

6. Ancora tua embarcação em um ponto mais alto do que o do inimigo e de frente para o Sol. Não desloca-te contra a corrente para encontrar o inimigo, principalmente em guerras de rios.

7. Ao cruzar manguezais, tua única preocupação deve ser a de sair dele o mais rapidamente possível.

8. Se forçado a combater em um manguezal, deves manter água e vegetação próxima de ti e teres um arvoredo em tua retaguarda, principalmente para operações em manguezais.

9. Em terreno seco e nivelado, assume uma posição facilmente acessível, com elevações em teu flanco direito e em tua retaguarda, de modo que o perigo venha sempre de tua frente e a segurança esteja atrás, principalmente quando em campanha sobre planícies.

10. Esses são os quatro ramos úteis do conhecimento militar, que permitem ao Imperador Amarelo[5] subjugar vários soberanos.

11. Todos os exércitos preferem planaltos a planícies e locais ensolarados a locais muito escuros.

12. Se fores cuidadoso com teus homens e acampares em solo firme, o exército estará livre de doenças de todos os tipos e isso se traduz em vitória.

13. Quando for o caso de uma colina ou uma ladeira, ocupa o lado ensolarado, com o declive na tua retaguarda direita.

Assim, de uma só vez, atuarás em benefício de teus homens e utilizarás as vantagens naturais do terreno.

---

[5] N.T.: O **Imperador Amarelo** (Huang Di) é apresentado pela mitologia chinesa como um lendário soberano, herói cultural e creditado como civilizador da Terra, mestre de muitas habilidades e inventor de vários itens agrícolas e militares. Sun Tzu faz referência a ele como articulador militar.

14. Quando, em consequência de fortes chuvas na cabeceira, um rio que desejas cruzar estiver espraiado e salpicado de espuma, deves aguardar até que ele retroceda.

15. Territórios em que há escarpas íngremes, com corredeiras ao fundo, profundas depressões naturais, locais confinados, matagal espesso, lamaçais e gretas devem ser abandonados o mais rapidamente possível e não deves aproximar-te deles.

16. Enquanto nos mantemos afastados de tais locais, devemos fazer com que o inimigo se aproxime deles; confrontá-los frontalmente e deixar esses territórios em sua retaguarda.

17. Se na vizinhança de teu acampamento houver terrenos acidentados, lagos cercados por bambus, bacias cheias de juncos ou bosques com espessa vegetação rasteira, eles devem ser cuidadosamente removidos e vasculhados, pois são estes os lugares em que homens fazem emboscadas e espiões traiçoeiros estarão possivelmente à espreita.

18. Quando o inimigo estiver muito próximo e mantiver-se quieto, ele estará confiante na força natural de sua posição.

19. Quando se mantém afastado e tenta provocar uma batalha, ele estará ansioso para que o outro lado avance.

20. Caso seu local de acampamento seja de fácil acesso, ele estará oferecendo uma isca.

21. O movimento entre as árvores de uma floresta mostra que o inimigo está avançando. O surgimento de marcas de trilhas

no meio do matagal significa que o inimigo quer nos deixar desconfiados.

22. O surgimento de pássaros em voo é sinal de uma emboscada. Animais assustados indicam que um ataque repentino está chegando.

23. Quando há poeira elevando-se em uma coluna alta, é sinal de bigas avançando; quando a poeira está baixa, mas espalhada sobre uma grande área, denota a aproximação da infantaria. Quando ela se divide em diferentes direções, mostra que grupos foram enviados para coletar lenha.

Algumas poucas nuvens de poeira movendo-se para frente e para trás indicam que o exército está acampando.

24. Sussurros e o aumento de preparativos são sinais de que o inimigo está prestes a avançar. Balbúrdia e avanço, como se fossem atacar, são sinais de que vão recuar.

25. Quando as bigas leves surgem primeiro e assumem posição nos flancos, é sinal de que o inimigo está formando para a batalha.

26. Propostas de paz desacompanhadas de um pacto juramentado indicam uma conspiração.

27. Quando há muita correria e os soldados tomam suas posições, significa que o momento crítico chegou.

28. Quando alguns são vistos avançando e alguns recuando, é um engodo.

29. Quando os soldados, em pé, se apoiam em suas lanças, estão fracos de fome.

30. Se aqueles que são enviados para buscar água começam por beber primeiro, o exército está sofrendo de sede.

31. Se o inimigo vê uma vantagem a ser aproveitada e não faz esforços para assegurá-la, é porque os soldados estão exaustos.

32. Se os pássaros se agrupam em um ponto qualquer, ele não está ocupado.

Algazarra noturna denota nervosismo.

33. Se há confusão no acampamento, a autoridade do general é débil. Se os estandartes e bandeiras estão se deslocando desordenadamente, um motim está em andamento. Se os oficiais são coléricos, significa que os homens estão desgastados.

34. Quando um exército alimenta seus cavalos com grãos, mata seu gado para servir de alimento e, quando os homens não penduram suas panelas ao lado do fogo, demonstrando que não retornarão às suas tendas, saberás que eles estão determinados a lutar até a morte.

35. A visão de homens sussurrando entre si em pequenos grupos ou falando em tom deprimido aponta para a deslealdade entre os postos e as fileiras.

36. Recompensas muito frequentes indicam que o inimigo está esgotando seus recursos; muitas punições denotam a condição de graves conflitos.

37. Começar com muita violência, mas, a seguir, amedrontar-se com a quantidade de inimigos demonstra a suprema falta de inteligência.

38. Quando emissários são enviados com palavras de elogio em suas bocas, é sinal que o inimigo deseja uma trégua.

39. Se as tropas inimigas marcham furiosamente e permanecem frente a frente com as nossas por um longo tempo sem engajar o combate ou retirar-se, a situação é tal que demanda grande vigilância e ponderação.

40. Se nossas tropas não forem maiores que aquelas do inimigo, isso é amplamente suficiente, significando que não poderá ser feito um ataque direto. O que podemos fazer é simplesmente concentrar todas as forças disponíveis, manter estreita vigilância sobre o inimigo e obter reforços.

41. Aquele que não exercita a previsão, mas faz pouco de seus oponentes seguramente será capturado por eles.

42. Se os soldados forem punidos antes de estar cada vez mais vinculados a ti, eles não demonstrarão obediência e, se não forem obedientes, serão praticamente inúteis.

Se, após os soldados tornarem-se vinculados a ti, não forem aplicadas punições, eles ainda serão inúteis.

43. Portanto, soldados devem ser tratados, em primeira instância, com humanidade, mas mantidos sob controle por meio de ferrenha disciplina. Essa é a estrada certa para a vitória.

44. Se, ao treinar soldados, as ordens forem habitualmente feitas cumprir, o exército será bem disciplinado; caso contrário, sua disciplina será ruim.

45. Se um general demonstra confiança em seus homens, mas insiste sempre que suas ordens sejam cumpridas, o ganho será mútuo.

X

TERRENO

Se sabemos que o inimigo está descoberto ao ataque, mas não sabemos que nossos homens não estão em condições de atacar, teremos percorrido apenas metade do caminho até a vitória.

1. Sun Tzu disse: Devemos distinguir seis tipos de terreno a considerar:

(1) campo aberto;
(2) campo acidentado;
(3) campo a contemporizar;
(4) passagens estreitas;
(5) elevações íngremes;
(6) posições a grande distância do inimigo.

2. Solo que pode ser facilmente cruzado por ambos os lados é chamado de campo aberto.

3. Com respeito a terrenos dessa natureza, ocupa-o antes do inimigo em elevações e locais ensolarados e proteja cuidadosamente sua linha de suprimentos. Dessa forma, serás capaz de lutar em vantagem.

4. Terrenos que podem ser abandonados, mas são difíceis de ser retomados são chamados de campo acidentado.

5. De uma posição como essa, se o inimigo estiver despreparado, podes atacar e derrotá-lo, mas, se o inimigo estiver preparado para tua chegada e tu falhares em derrotá-lo, a retirada pode ser impossível, então o desastre ocorrerá.

6. Quando a posição é tal que nenhum dos lados terá vantagem em fazer o primeiro movimento, é chamado de campo a contemporizar.

7. Em uma posição como essa, mesmo que o inimigo venha a te oferecer uma isca atrativa, é recomendável não avançar, mas recuar, por tua vez, iludindo o inimigo; então, quando parte de seu exército tiver surgido, deves executar teu ataque com vantagem.

8. Em relação às passagens estreitas, se puderes ocupá-las primeiro, guarneça-as fortemente e aguarda a chegada do inimigo.

9. Se o exército inimigo te impedir de ocupar uma passagem, não o persigas caso a passagem esteja totalmente guarnecida, somente se estiver fracamente guarnecida.

10. No caso de elevações íngremes, se chegares antes de teu adversário, deves ocupar os pontos elevados e ensolarados e, de lá, esperar pela chegada de teu inimigo.

11. Se o inimigo as ocupou antes de ti, não o siga, mas recua e tenta seduzi-lo a sair.

12. Se te localizares a grande distância do inimigo e a força dos dois exércitos for igual, não será fácil provocar uma batalha e o combate será desfavorável a ti.

13. Estes seis são princípios ligados com a Terra.

O general que tiver atingido um posto importante deve estudá-los cuidadosamente.

14. Assim, um exército está exposto a seis calamidades não oriundas de causas naturais, mas de falhas das quais o general é responsável. São elas:

(1) fuga;
(2) insubordinação;
(3) colapso;
(4) ruina;
(5) desorganização;
(6) derrota.

15. Sendo outras condições iguais, se uma força for atirada contra a outra dez vezes maior, o resultado será a fuga da primeira.

16. Quando os soldados ordinários são muito fortes e seus oficiais muito fracos, o resultado será insubordinação.

Quando os oficiais são muito fortes e os soldados ordinários muito fracos, o resultado será o colapso.

17. Quando os oficiais de alta patente são coléricos e insubordinados e, ao confrontar o inimigo, dão à batalha seu próprio sentimento de ressentimento, antes que o comandante em chefe possa dizer se está ou não em posição de lutar, o resultado será a ruina.

18. Quando o general é fraco e sem autoridade; quando não há responsabilidades definidas para oficiais e soldados e quando suas ordens não são claras e distintas; quando não há responsabilidades definidas para oficiais e soldados e as fileiras são formadas de maneira desleixada, o resultado é a completa desorganização.

19. Quando um general, incapaz de estimar a força do inimigo, permite que uma força inferior engaje uma maior, ou arremessa um destacamento fraco contra um poderoso e negligencia a colocação de soldados selecionados nas fileiras dianteiras, o resultado tem de ser a derrota.

20. Essas são as seis maneiras de cortejar a derrota, que devem ser cuidadosamente conhecidas pelo general que atingiu um posto importante.

21. A formação natural do campo é a melhor aliada do soldado, mas o poder de estimar o adversário, de controlar as forças da vitória e de maneira perspicaz calcular as dificuldades, perigos e distâncias constitui o teste para um grande general.

22. Aquele que conhecer essas coisas e, em combate, colocar seu conhecimento em prática vencerá suas batalhas.
Aquele que não as conhecer será, seguramente, derrotado.

23. Se o combate, com certeza, resultar em vitória, então deves lutá-lo, mesmo que o soberano o proíba.

Se o combate não resultar em vitória, então não deves lutá-lo, mesmo que o soberano assim ordene.

24. O general que avança sem cobiçar a fama e retrocede sem temer a desonra, cujo pensamento é apenas proteger sua terra e prestar bom serviço a seu soberano, é a joia do reino.

25. Considera teus soldados como teus filhos e eles te seguirão até o mais profundo dos vales; cuida deles como teus próprios amados filhos e eles estarão a teu lado, até mesmo para a morte.

26. Se, no entanto, fores indulgente, mas incapaz de fazeres sentida a tua autoridade; bondoso, mas incapaz de fazeres cumprir teus comandos e, ademais, incapaz de reprimires a desordem, então, teus soldados devem ser comparados crianças mimadas; eles são inúteis para quaisquer propósitos práticos.

27. Se sabemos que nossos homens estão em condições de atacar, mas não sabemos que o inimigo não está descoberto ao ataque, teremos percorrido apenas metade do caminho até a vitória.

28. Se sabemos que o inimigo está descoberto ao ataque, mas não sabemos que nossos homens não estão em condições de atacar, teremos percorrido apenas metade do caminho até a vitória.

29. Se sabemos que nosso inimigo está descoberto ao ataque e também sabemos que nossos homens estão em condições de atacar, mas não sabemos que a natureza do terreno torna o combate impraticável, ainda teremos percorrido apenas metade do caminho até a vitória.

30. Portanto, o soldado experiente, uma vez em marcha, jamais é confundido; uma vez no campo de batalha, nunca estará lá para a derrota.

31. Por consequência, está dito: Se conheces o inimigo e conheces a ti mesmo, tua vitória não será posta em dúvida; se conheces Céu e Terra, poderás fazer tua vitória completa.

XI

AS NOVE SITUAÇÕES

Rapidez é a essência da guerra: aproveita-te do despreparo de teu inimigo, desloca-te por rotas inesperadas e ataca pontos desguarnecidos.

1. Sun Tzu disse: A arte da guerra reconhece nove variações de campos de batalha:

(1) campo de dispersão;
(2) campo fácil;
(3) campo decisivo;
(4) campo aberto;
(5) campo de intersecção;
(6) campo desfavorável;
(7) campo difícil;
(8) campos cercados;
(9) campos de morte.

2. Quando um líder está lutando em seu próprio território, o campo é de dispersão.

3. Quando ele penetra em território hostil, mas não profundamente, o campo é fácil.

4. Campo em que sua possessão implica grande vantagem para ambos os lados é campo decisivo.

5. Campo em que ambos os lados têm liberdade de movimentação é campo aberto.

6. Campos que formam o acesso de três Estados contíguos, de modo que aquele a ocupá-lo primeiro tenha a maior parte do Império sob seu comando, são de intersecção.

7. Quando um exército tiver penetrado o coração de um território hostil, deixando cidades fortificadas em sua retaguarda, estará em campo desfavorável.

8. Montanhas, florestas, declives escarpados, charcos e pântanos, enfim, territórios difíceis de serem cruzados. Isto é um campo difícil.

9. Campo que é alcançado por meio de gargantas estreitas e do qual a retirada só pode ser feita por caminhos tortuosos, em que um pequeno grupo de inimigos é suficiente para esmagar um grande corpo de nossos homens, é denominado campo cercado.

10. Campos nos quais somente podemos ser salvos da destruição lutando continuamente são os campos de morte.

11. Em campos de dispersão, portanto, não luta. Em campo fácil, não para. Em campo decisivo, não ataca.

12. Em campo aberto, não tenta bloquear o caminho do inimigo. Em campo de intersecção, una-te aos aliados.

13. Em campo desfavorável, acumula pilhagem. Em campo difícil, mantém marcha uniforme.

14. Em campos cercados, recorre aos estratagemas. Em campos de morte, luta.

15. Os que eram chamados de líderes habilidosos de antigamente sabiam como cindir o fronte e a retaguarda do inimigo para evitar a cooperação entre suas divisões grandes e pequenas; para impedir as boas tropas de resgatar as más e os oficiais de reagrupar seus homens.

16. Quando os homens do inimigo estavam unidos, os líderes de antigamente conseguiam mantê-los em desordem.

17. Para obter vantagem, avançavam, enquanto deveriam permanecer imóveis.

18. Se questionado sobre como enfrentar uma grande tropa do inimigo em formação organizada e a ponto de marchar para o ataque, eu diria: "Comeces por apoderar-te de algo que teu oponente tenha como caro, assim, ele estará maleável à tua vontade".

19. Rapidez é a essência da guerra: aproveita-te do despreparo de teu inimigo, desloca-te por rotas inesperadas e ataca pontos desguarnecidos.

20. São os seguintes, os princípios a serem observados por uma força invasora: Quanto mais profundamente penetrares no território, maior será a solidariedade de tuas tropas, e assim os defensores não prevalecerão contra ti.

21. Faze saques em território fértil para suprir de alimentos o teu exército.

22. Cuidadosamente estuda o bem-estar de teus homens e não os sobrecarrega. Concentra tuas energias e reserva tuas

forças. Mantém teu exército continuamente em movimento e imagina planos insondáveis.

23. Lança teus homens em posições das quais não há escapatória e eles preferirão a morte à fuga.

Se encararem a morte, nada há que não consigam; sejam oficiais ou soldados, aplicarão o máximo de suas forças.

24. Soldados, quando sob pressão desesperada, perdem seu senso de medo. Se não houver refúgio, permanecerão firmes; se estiverem em território hostil, tornar-se-ão um obstinado front; se não houver ajuda, lutarão duramente.

25. Portanto, sem esperar que sejam mandados, os soldados estarão constantemente em alerta; sem esperar que sejam solicitados, farão tuas vontades; sem restrições, serão leais; sem que recebam ordens, serão confiáveis.

26. Proibidos de crer em presságios e superstições para evitar dúvidas, até que lhes venha a morte, nenhuma calamidade terá de ser temida.

27. Se a nossos soldados não forem dadas riquezas, não é porque têm aversão a elas: se suas vidas não forem longas, não é porque não estão propensos à longevidade.

28. Quando partirem para a batalha, teus soldados poderão chorar tanto, que os que estiverem sentados molharão seus uniformes e os que estiverem deitados deixarão lágrimas es-

correr por suas faces, mas, quando forem acuados, mostrarão a coragem de um Chu[6] ou um Kuei[7].

29. O tático habilidoso pode ser comparado à shuai-jan, uma serpente encontrada nas montanhas ChUng. Ataque-a na cabeça e serás atacado pela cauda; ataque-a pela cauda e serás atacado por sua cabeça; ataque-a pelo meio e serás atacado pela cabeça e pela cauda.

30. Perguntado se um exército pode ser treinado para imitar a shuai-jan, eu responderia que sim. Pois os homens de Wu e os homens de Youeh são inimigos, mesmo assim, se estiverem cruzando um rio no mesmo barco e forem pegos por uma tempestade, uns virão em assistência dos outros, do mesmo modo que a mão esquerda ajuda a direita.

31. Assim, não é suficiente depositar toda a confiança em cavalos atados nem em rodas de bigas enterradas no chão.

32. O princípio pelo qual administrar um exército é estabelecer um padrão de bravura que todos devem alcançar.

---

[6] N.T.: Chu, como era conhecido Chuan Chu, nativo do Estado de Wu e possível contemporâneo de Sun Tzu que, em 515 AC, foi contratado por Kung-tzu Kuang, para assassinar seu soberano Wang Liao com um punhal que ele havia escondido na barriga de um peixe servido em um banquete real. Chu, corajosamente, teve sucesso no atentado, mas foi imediatamente retalhado pelos guarda-costas do rei.

[7] N.T.: Kuei, cujo nome completo era Ts`AO Kuei, em 681 AC, realizou a façanha que fez seu nome famoso, quando atacou sozinho o duque Huan Kung, que estava prestes a assinar a conquista de grande parte do Estado de Lu, obrigando-o, com uma adaga no pescoço, a renunciar à posse.

33. Como obter o melhor tanto dos fortes quanto dos fracos é uma questão que envolve o uso adequado do terreno.

34. Assim, o general habilidoso conduz seu exército como se estivesse liderando um único homem, quer queira, quer não, pela mão.

35. É trabalho do general ser silencioso e assim assegurar o sigilo; direito e justo e assim manter a ordem.

36. Ele deve ser capaz de iludir seus oficiais e soldados por meio de relatórios e apresentações falsas e, assim, mantê-los em total ignorância.

37. Pela alteração de seus preparativos e revisão de seus planos, ele mantém o inimigo sem o conhecimento definitivo. Pela mudança de acampamentos e uso de rotas sinuosas, evita que o inimigo antecipe seus propósitos.

38. No momento crítico, o líder de um exército age como alguém que subiu em um ponto muito alto e depois descartou a escada atrás de si. Ele introduz seus homens profundamente em território hostil antes de mostrar sua mão.

39. Queima sua embarcação e destrói suas panelas; como um pastor guiando seu rebanho de ovelhas, ele leva seus homens pelos caminhos e ninguém sabe para onde ele está indo.

40. Reunir suas tropas e levá-las ao perigo; este pode ser descrito como o trabalho de um general.

41.As diferentes medidas adequadas às nove variedades de campos; a conveniência de táticas agressivas ou defensivas e as leis fundamentais da natureza humana. Essas são as coisas que devem, certamente, ser estudadas.

42. Ao invadir território hostil, o princípio do general deve ser o de que penetrar profundamente traz a coesão, mas penetração rasa significa dispersão.

43. Quando deixas teu próprio território para trás e levas teu exército através de território vizinho, te encontras em campo crítico. Quando há meios de comunicação em todos os quatro lados, o campo é de intersecção.

44. Quando penetras profundamente em um território, é campo desfavorável. Quando a penetração é rasa, é campo fácil.

45. Quando tens o reduto do inimigo à tua retaguarda e passagens estreitas à frente, é campo cercado. Quando não há locais de refúgio de qualquer tipo, é campo de morte.

46. Portanto, em campo de dispersão, eu deveria inspirar meus homens à unidade de propósitos. Em campo fácil, eu deveria notar que há vínculo muito próximo entre todas as partes de meu exército.

47. Em campo decisivo, eu deveria acelerar minha retaguarda.

48. Em campo aberto, eu deveria manter a vigilância de minhas defesas. Em campo de intersecção, eu deveria consolidar minhas alianças.

49. Em campo desfavorável, eu deveria tentar assegurar um fluxo contínuo de suprimentos. Em campo difícil, eu deveria continuar a avançar pela estrada.

50. Em campo cercado, eu bloquearia quaisquer formas de retirada. Em campo de morte, eu proclamaria aos meus soldados a improbabilidade de salvar suas vidas.

51. Por isso, deve ser do caráter do soldado oferecer resistência obstinada quando cercado, lutar furiosamente quando não puder evitar e obedecer prontamente quando estiver em perigo.

52. Não podemos selar uma aliança com um príncipe vizinho até conhecermos seus planos. Não estamos prontos para liderar um exército em marcha se não estivermos familiarizados com a superfície do território, suas montanhas e florestas, suas armadilhas e precipícios, seus charcos e pântanos.

Poderemos ser incapazes de transformar as vantagens naturais em benefícios se não fizermos uso de guias locais.

53. Ignorar qualquer um dos seguintes quatro ou cinco princípios não beneficia um príncipe belicoso.

54. Quando um príncipe belicoso ataca um Estado poderoso, seu generalato apresenta-se para evitar a concentração de forças inimigas, intimidar seus oponentes e evitar que aliados se unam contra ele.

55. Assim, ele não se empenha em aliar-se a todos e tudo, nem alimenta a força de outros Estados. Ele executa seus

projetos secretos, deixando seus antagonistas aterrorizados. Dessa maneira, ele é capaz de capturar cidades e derrubar seus reinados.

56. Conceda recompensas descontroladamente, emita ordens sem reconhecer os planos preparados precedentemente e serás capaz de controlar um exército inteiro como se tivesses de controlar apenas um único homem.

57. Confronta teu soldado com a própria realidade; nunca deixa-os saber de teus planos. Quando a perspectiva é favorável, traze-a aos olhos deles; mas nada lhes diga quando a situação for sombria.

58. Coloca teu exército em perigo mortal e ele sobreviverá; mergulha-o em terríveis dificuldades e ele sairá delas em segurança.

59. Pois é precisamente quando a força envereda por caminhos perigosos que é capaz de desfechar um golpe para a vitória.

60. Sucesso em combate é obtido por nosso cuidadoso ajustamento contra os propósitos do inimigo.

61. Permanecendo persistentemente no flanco do inimigo, em longo prazo, podemos ter sucesso em matar o comandante em chefe.

62. Isso é chamado de habilidade em realizar um objetivo por absoluta astúcia.

63. No dia em que assumires o comando, bloqueia as passagens nas fronteiras, destrói os cálculos oficiais e impede a passagem de todos os emissários.

64. Sê firme na câmara do conselho, para que possas controlar a situação.

65. Caso o inimigo deixe uma porta aberta, deve lançar-te a ela.

66. Evita teu oponente apoderando-te daquilo que lhe é caro e sutilmente manipula seu tempo de chegada ao campo de batalha.

67. Segue as regras definidas até lutares a batalha decisiva.

68. Primeiro, então, exibe o recato de uma donzela, até que o inimigo lhe dê uma abertura; a seguir, imita a rapidez de uma lebre e será muito tarde para que o inimigo se oponha a ti.

XII

O ATAQUE COM FOGO

Infeliz é o destino daquele que tenta vencer suas batalhas e ter sucesso em seus ataques, sem cultivar o espírito da iniciativa, pois o resultado é a perda de tempo e a estagnação generalizada.

1. Sun Tzu disse: Há cinco maneiras de atacar com fogo:

A primeira é queimar os soldados em seus acampamentos; a segunda, queimar os armazéns de alimentos; a terceira, queimar os comboios de carga; a quarta, queimar os arsenais e depósitos de munição; a quinta, atacar lançando fogo sobre o inimigo.

2. Para proceder com um ataque, devemos ter os meios disponíveis, e o material para acender o fogo deve sempre estar preparado.

3. Existe um período correto para atacar com fogo e dias especiais para iniciar uma conflagração.

4. O período correto é quando o clima está bastante seco; os dias especiais são aqueles nos quais a Lua está na constelação de Ji, Bi, Yi ou Shì[8], pois estes são os dias do vento ascendente.

5. Ao atacar com fogo, deve-se estar preparado para as cinco possíveis situações:

---

[8] N.T.: Astronomia ancestral: Wang Xi-ming (da dinastia Tang) dividiu o céu em 31 regiões e nomeou cada uma delas. **Ji**, **Bi**, **Yi** e **Shì** são quatro constelações dessas regiões e são chamadas em português, respectivamente, de Cesto de Despalhar, Muro, Asas e Acampamento.

6. (1) Quando um incêndio irrompe dentro do acampamento inimigo, responde imediatamente com um ataque externo.

7. (2) Se o incêndio se alastrar, mas os soldados inimigos permanecerem calmos, aguarda e não ataca.

8. (3) Quando a força das chamas tiver alcançado seu máximo, se for viável, ataca, caso contrário, permanece onde estás.

9. (4) Se for possível fazer um assalto com fogo de fora para dentro, não espera até que ele se alastre de dentro para fora, mas execute seu ataque em um momento favorável.

10. (5) Quando iniciares o fogo, está a barlavento. Não ataca a sotavento.

11. O vento que nasce durante o dia perdura por mais tempo, mas a brisa noturna logo cede.

12. Em todos os exércitos, as cinco possíveis situações vinculadas ao fogo devem ser conhecidas, o movimento das estrelas calculado e uma vigília mantida para os dias propícios.

13. Portanto, aqueles que utilizam o fogo como auxiliar nos ataques demonstram inteligência; aqueles que usam água como auxiliar nos ataques ganham um acréscimo de força.

14. Por meio da água, um inimigo pode ser interceptado, mas não destituído de todos os seus pertences.

15. Infeliz é o destino daquele que tenta vencer suas batalhas e ter sucesso em seus ataques, sem cultivar o espírito da iniciativa, pois o resultado é a perda de tempo e a estagnação generalizada.

16. Por consequência, está dito: O soberano iluminado estabelece seus planos com muita antecipação e o bom general desenvolve seus recursos.

17. Não te move se não vês vantagem; não usa tuas tropas caso não haja algo do qual tirar proveito; não luta se a posição não for crítica.

18. Nenhum soberano deve pôr suas tropas em campo meramente para satisfazer seu gênio; nenhum general deve combater simplesmente por ressentimento.

19. Se, em teu benefício, avança, caso contrário, permanece onde estás.

20. Raiva pode, com o tempo, se transformar em alegria; aborrecimento pode ser seguido de satisfação.

21. Mas, um reino que foi destruído uma vez nunca mais poderá tornar a ser o que era, nem pode um morto ser trazido de volta à vida.

22. Assim, o soberano iluminado é prudente e o bom general cuidadoso. Esse é o caminho para manter um território em paz e um exército intacto.

XIII

O USO DE ESPIÕES

É por meio das informações trazidas pelo espião convertido que somos capazes de descobrir e contratar espiões locais e internos.

1. Sun Tzu disse: Agrupar uma tropa de cem mil homens e marchar por grandes distâncias implica pesadas perdas na população e o esgotamento dos recursos do Estado.
O gasto diário atingirá mil onças de prata, haverá comoção em casa e fora dela, os homens cairão exaustos nas estradas e setecentas mil famílias terão dificuldades em trabalhar.

2. Exércitos hostis podem lutar uns contra os outros por anos, esforçando-se por uma vitória que pode ser decidida em um único dia.

Sendo assim, permanecer na ignorância das condições do inimigo simplesmente porque alguém reluta em despender uma centena de onças de prata é o limite da desumanidade.

3. Quem age assim, portanto, não é um bom líder, nem de ajuda ao soberano nem mestre da vitória.

4. Assim, o que capacita o soberano sensato e o bom general a atacar, conquistar e realizar coisas além do alcance do homem comum é a presciência.

5. Essa presciência não pode ser extraída dos espíritos; não pode ser obtida pelo uso de experiências anteriores nem por cálculos dedutivos.

6. O conhecimento da organização do inimigo só pode ser obtida de outros homens.

7. Daí, o uso de espiões, dos quais há cinco classes:
   (1) espiões locais;
   (2) espiões internos;
   (3) espiões convertidos;
   (4) espiões condenados;
   (5) espiões sobreviventes.

8. Quando todos estes cinco tipos de espião estão atuando, ninguém pode descobrir o sistema secreto. Isso é chamado de "a divina manipulação das ações" e é o mais precioso recurso do soberano.

9. Ter espiões locais implica contratar os serviços dos habitantes de um distrito.

10. Ter espiões internos significa fazer uso de oficiais do inimigo.

11. Ter espiões convertidos é prender os espiões do inimigo e usá-los para nossos próprios propósitos.

12. Ter espiões condenados é fazer certas atividades abertamente, com o propósito de iludir e permitir que esses espiões saibam delas e informem ao inimigo.

13. Espiões sobreviventes, finalmente, são aqueles que trazem de volta a nós informações do acampamento inimigo.

14. Assim é que, ninguém, em todo o exército, deve ser tratado com tanta familiaridade quanto os espiões, ninguém deve ser mais regiamente compensado do que eles e nenhuma outra atividade deve ter os segredos mais bem preservados do que os dos espiões.

15. Espiões não podem ser eficientemente empregados sem certa inteligência intuitiva.

16. Eles não podem ser adequadamente dirigidos sem benevolência e franqueza.

17. Sem perspicácia, não é possível ter certeza da veracidade de seus relatórios.

18. Sê sutil! Sê sutil! E usa teus espiões para todos os tipos de atividade.

19. Se informações secretas forem divulgadas antes do tempo por um espião, ele deve ser condenado à morte com aquele para quem o segredo foi contado.

20. Seja o objetivo aquele esmagar um exército, seja invadir uma cidade, seja assassinar um indivíduo, é sempre necessário começar por saber os nomes dos criados, ajudantes de ordens, porteiros e sentinelas do general em comando, e o espião deve ser enviado para descobrir.

21. O espião do inimigo que tenha vindo a nos espionar deve ser procurado, tentado com subornos, levado para longe e hospedado confortavelmente. Desse modo, eles tornarão espiões convertidos e disponíveis aos nossos serviços.

22. É por meio das informações trazidas pelo espião convertido que somos capazes de descobrir e contratar espiões locais e internos.

23. Novamente, é graças a suas informações que podemos fazer com que o espião condenado leve as falsas informações ao inimigo.

24. Por último, é por meio de suas informações que os espiões sobreviventes podem ser usados em situações específicas.

25. O fim e a meta em espionar em todas as suas cinco variantes é o conhecimento do inimigo, e este conhecimento só pode ser derivado, em primeira instância, a partir do espião convertido.

Assim, é essencial que o espião convertido seja tratado com a máxima generosidade.

26. Antigamente, o surgimento da dinastia Yin foi devido a I Chih, que serviu a Hsia. Da mesma forma, o surgimento da dinastia Chou foi devido à Lu Ya, que serviu a Yin.

27. Portanto, é somente o soberano iluminado e o general sábio que utilizarão a mais alta inteligência do exército, com o propósito de espionar e, por consequência, obter grandes resultados. Os espiões são o elemento mais importante da guerra, pois dele depende a capacidade de um exército em se deslocar.

Páginas: 160
Família Tipografia: Electra LT Std
Composição: Lumiar Design